BOLLINGEN SERIES LV

ÉLOGES
AND OTHER POEMS

ST.-JOHN PERSE

BILINGUAL EDITION

TRANSLATION BY
LOUISE VARÈSE

BOLLINGEN SERIES LV

PANTHEON BOOKS

Upsala College
Library
East Orange, N. J. 07019

Copyright 1944 by W. W. Norton & Company, Inc., New York, N. Y.
Copyright © 1956 by Bollingen Foundation Inc., New York, N. Y.
Published by Bollingen Foundation Inc.
Distributed by Pantheon Books, a Division of
Random House, Inc., New York, N. Y.

841.91
L512e

THIS IS THE FIFTY-FIFTH IN A SERIES OF BOOKS
PUBLISHED BY
BOLLINGEN FOUNDATION

The French text is from the *Œuvre poétique* published
and copyright by Librairie Gallimard, Paris, 1953

The translation is a revision of the version published
and copyright by W. W. Norton & Co., New York, 1944.
The translation of "Berceuse" is here
published for the first time

First Printing, 1956
Second Printing, 1960
Third Printing, with enlarged Bibliographical Note, 1965

134981

Library of Congress Catalog Card No. 56-10427

MANUFACTURED IN THE UNITED STATES OF AMERICA
BY KINGSPORT PRESS, INC., KINGSPORT, TENN.
DESIGNED BY ANDOR BRAUN

CONTENTS

TRANSLATOR'S NOTE   *vii*

I
ÉLOGES/PRAISES

ÉCRIT SUR LA PORTE   2
    WRITTEN ON THE DOOR

POUR FÊTER UNE ENFANCE   6
    TO CELEBRATE A CHILDHOOD

ÉLOGES   22
    PRAISES

IMAGES A CRUSOÉ   50
    PICTURES FOR CRUSOE

II
LA GLOIRE DES ROIS/THE GLORY OF KINGS

RÉCITATION A L'ÉLOGE D'UNE REINE   66
    RECITATION IN PRAISE OF A QUEEN

AMITIÉ DU PRINCE   74
    FRIENDSHIP OF THE PRINCE

HISTOIRE DU RÉGENT   88
    THE REGENT'S STORY

CHANSON DU PRÉSOMPTIF   90
    SONG OF THE HEIR PRESUMPTIVE

CONTENTS

BERCEUSE   92
  LULLABY

BIBLIOGRAPHICAL NOTE   99

TRANSLATOR'S NOTE

THE FIRST EDITION of this translation, published in 1944, contained a Translator's Note in which I said: "For the translation of untranslatable poetry, Hugo von Hofmannsthal, in his preface to the unpublished German edition of St.-John Perse's *Anabase*, offered the unanswerable excuse: '. . . a work of this kind is simply untranslatable. In such cases the translation can play no other role than that of a very exact, conscientious report. For all that, a certain fascination in the order of the contents remains over. . . .' " Rashly I went on to boast: " 'Exact' at least these translations should be, thanks to the patience of the poet in going over his poems with me, in sometimes even explaining—a thing no poet should ever be asked to do, since a poem is a super-explanation."

Rereading my translation in the sober light of twelve years after, I found I had been too sanguine and that the word *exact* was sometimes inexact. It is a word which has peculiar force related to St.-John Perse, whose exactitude in his work is almost legendary— "a poet who says only what he knows," as a French critic has put it. This constituted in itself a challenge, to say nothing of an obligation to the poet and to myself; revision was imperative.

For the translator of poetry, the problem of exactitude is extremely complex: it involves not only the exact word, the precise sense, double sense more often than not, a corresponding rhythm (exactness being obviously impossible), and the reconciliation of often conflicting demands of sound and sense, but something intangible which Valéry would call the tone. If the tone is not exact— that is, an echo of the original—a work cannot be called a translation. And this tone, this echo, can only be caught, if caught at all, in the first fever of discovery. That is why a revision is a very precarious undertaking, as a session with St.-John Perse demonstrated, when I discovered that, in some instances where I had

TRANSLATOR'S NOTE

made changes, reasoning had led me away from the poet, and that my instinct, now confirmed by the poet, had been right. The changes that remain have his approval, some of them necessitated by his elucidation, his illumination, of the thought or the emotion behind certain words.

As a whole, these translations of *Éloges and Other Poems* are the same as those of 1944. That is, the *tone* is the same. I have tried not to alter it in revision because if I had failed to catch the echo of the original poems when I was in that first fever I could hardly hope to succeed when reasonable.

L. V.

New York, 1956

I

ÉLOGES

PRAISES

ÉCRIT SUR LA PORTE

J'AI une peau couleur de tabac rouge ou de mulet,
   j'ai un chapeau en moelle de sureau couvert de toile blanche.
   Mon orgueil est que ma fille soit très-belle quand elle commande aux femmes noires,
   ma joie, qu'elle découvre un bras très-blanc parmi ses poules noires;
   et qu'elle n'ait point honte de ma joue rude sous le poil, quand je rentre boueux.

*

   Et d'abord je lui donne mon fouet, ma gourde et mon chapeau.
   En souriant elle m'acquitte de ma face ruisselante; et porte à son visage mes mains grasses d'avoir
   éprouvé l'amande de kako, la graine de café.
   Et puis elle m'apporte un mouchoir de tête bruissant; et ma robe de laine; de l'eau pure pour rincer mes dents de silencieux:
   et l'eau de ma cuvette est là; et j'entends l'eau du bassin dans la case-à-eau.

*

   Un homme est dur, sa fille est douce. Qu'elle se tienne toujours

WRITTEN ON THE DOOR

I have a skin the colour of mules or of red tobacco,
 I have a hat made of the pith of the elder covered with white linen.
 My pride is that my daughter should be very-beautiful when she gives orders to the black women,
 my joy, that she should have a very-white arm among her black hens;
 and that she should not be ashamed of my rough, hairy cheek when I come home covered with mud.

*

And first I give her my whip, my gourd, and my hat.
 Smiling she forgives me my dripping face; and lifts to her face my hands, oily
 from testing the cacao seed and the coffee bean.
 And then she brings me a rustling bandanna; and my woollen robe; pure water to rinse my mouth of few words:
 and the water for my washbasin is there; and I can hear the running water in the water-cabin.

*

A man is hard, his daughter, tender. Let her always be waiting,

ÉCRIT SUR LA PORTE

à son retour sur la plus haute marche de la maison blanche,
et faisant grâce à son cheval de l'étreinte des genoux,
il oubliera la fièvre qui tire toute la peau du visage en dedans.

*

J'aime encore mes chiens, l'appel de mon plus fin cheval,
et voir au bout de l'allée droite mon chat sortir de la maison en compagnie de la guenon . . .
toutes choses suffisantes pour n'envier pas les voiles des voiliers
que j'aperçois à la hauteur du toit de tôle sur la mer comme un ciel.

when he returns, on the topmost step of the white house,
and, freeing his horse from the pressure of his knees,
he will forget the fever that draws all the skin of his face inward.

*

I also love my dogs, the call of my finest horse,
and to see at the end of the straight avenue my cat coming out of the house accompanied by the monkey . . .
all things sufficient to keep me from envying the sails of the sailing ships
which I see on a level with the tin roof on the sea like a sky.

POUR FÊTER
UNE ENFANCE

"King Light's Settlements"

1

P<small>ALMES</small> . . . !
 Alors on te baignait dans l'eau-de-feuilles-vertes; et l'eau encore était du soleil vert; et les servantes de ta mère, grandes filles luisantes, remuaient leurs jambes chaudes près de toi qui tremblais . . .
 (Je parle d'une haute condition, alors, entre les robes, au règne de tournantes clartés.)

 Palmes! et la douceur
 d'une vieillesse des racines . . . ! La terre
 alors souhaita d'être plus sourde, et le ciel plus profond où des arbres trop grands, las d'un obscur dessein, nouaient un pacte inextricable . . .
 (J'ai fait ce songe, dans l'estime: un sûr séjour entre les toiles enthousiastes.)

 Et les hautes
 racines courbes célébraient

when he returns, on the topmost step of the white house, and, freeing his horse from the pressure of his knees,

he will forget the fever that draws all the skin of his face inward.

*

I also love my dogs, the call of my finest horse,

and to see at the end of the straight avenue my cat coming out of the house accompanied by the monkey . . .

all things sufficient to keep me from envying the sails of the sailing ships

which I see on a level with the tin roof on the sea like a sky.

POUR FÊTER
UNE ENFANCE

"King Light's Settlements"

1

P<small>ALMES</small> . . . !
 Alors on te baignait dans l'eau-de-feuilles-vertes; et l'eau encore était du soleil vert; et les servantes de ta mère, grandes filles luisantes, remuaient leurs jambes chaudes près de toi qui tremblais . . .

 (*Je parle d'une haute condition, alors, entre les robes, au règne de tournantes clartés.*)

 Palmes! et la douceur
d'une vieillesse des racines . . . ! La terre
alors souhaita d'être plus sourde, et le ciel plus profond où des arbres trop grands, las d'un obscur dessein, nouaient un pacte inextricable . . .

 (*J'ai fait ce songe, dans l'estime: un sûr séjour entre les toiles enthousiastes.*)

 Et les hautes
racines courbes célébraient

TO CELEBRATE A CHILDHOOD

"King Light's Settlements"

1

Palms . . . !
    In those days they bathed you in water-of-green-leaves; and the water was of green sun too; and your mother's maids, tall glistening girls, moved their warm legs near you who trembled . . .
    (I speak of a high condition, in those days, among the dresses, in the dominion of revolving lights.)

    Palms! and the sweetness
    of an aging of roots . . . ! the earth
in those days longed to be deafer, and deeper the sky where trees too tall, weary of an obscure design, knotted an inextricable pact . . .
    (I dreamed this dream, in esteem: a safe sojourn among enthusiastic linens.)

    And the high
    curved roots celebrated

POUR FÊTER UNE ENFANCE

l'en allée des voies prodigieuses, l'invention des voûtes et des nefs
 et la lumière alors, en de plus purs exploits féconde, inaugurait le blanc royaume où j'ai mené peut-être un corps sans ombre . . .
 (Je parle d'une haute condition, jadis, entre des hommes et leurs filles, et qui mâchaient de telle feuille.)

Alors, les hommes avaient
 une bouche plus grave, les femmes avaient des bras plus lents;
 alors, de se nourrir comme nous de racines, de grandes bêtes taciturnes s'ennoblissaient;
 et plus longues sur plus d'ombre se levaient les paupières . . .
 (J'ai fait ce songe, il nous a consumés sans reliques.)

2

ET LES *servantes de ma mère, grandes filles luisantes* . . . *Et nos paupières fabuleuses* . . . *O*
 clartés! ô faveurs!
 Appelant toute chose, je récitai qu'elle était grande, appelant toute bête, qu'elle était belle et bonne.
 O mes plus grandes
 fleurs voraces, parmi la feuille rouge, à dévorer tous mes plus beaux
 insectes verts! Les bouquets au jardin sentaient le cimetière de famille. Et une très petite sœur était morte: j'avais eu, qui sent bon, son cercueil d'acajou entre les glaces de trois chambres.

the departure of prodigious roads, the invention of vaultings and of naves

and the light in those days, fecund in purer feats, inaugurated the white kingdom where I led, perhaps, a body without a shadow . . .

(I speak of a high condition of old, among men and their daughters, who chewed a certain leaf.)

In those days, men's mouths
were more grave, women's arms moved more slowly;
in those days, feeding like us on roots, great silent beasts were ennobled;
and longer over darker shadow eyelids were lifted . . .
(I dreamed this dream, it has consumed us without relics.)

2

And my mother's maids, tall glistening girls . . . And our fabulous eyelids . . . O

radiance! O favours!

Naming each thing, I proclaimed that it was great, naming each beast, that it was beautiful and good.

O my biggest

my voracious flowers, among the red leaves, devouring all my loveliest

green insects! The bouquets in the garden smelled of the family cemetery. And a very young sister had died: I had had, it smells good, her mahogany coffin between the mirrors

*Et il ne fallait pas tuer l'oiseau-mouche d'un caillou . . .
Mais la terre se courbait dans nos jeux comme fait la servante,
celle qui a droit à une chaise si l'on se tient dans la maison.*

. . . Végétales ferveurs, ô clartés ô faveurs! . . .
Et puis ces mouches, cette sorte de mouches, vers le dernier étage du jardin, qui étaient comme si la lumière eût chanté!

. . . Je me souviens du sel, je me souviens du sel que la nourrice jaune dut essuyer à l'angle de mes yeux.
Le sorcier noir sentenciait à l'office: «Le monde est comme une pirogue, qui, tournant et tournant, ne sait plus si le vent voulait rire ou pleurer . . .»
Et aussitôt mes yeux tâchaient à peindre
un monde balancé entre des eaux brillantes, connaissaient le mât lisse des fûts, la hune sous les feuilles, et les guis et les vergues, les haubans de liane,
où trop longues, les fleurs
s'achevaient en des cris de perruches.

3

*. . . P*UIS *ces mouches, cette sorte de mouches, et le dernier étage du jardin . . . On appelle. J'irai . . . Je parle dans l'estime.*
—Sinon l'enfance, qu'y avait-il alors qu'il n'y a plus?

of three rooms. And you were not to kill the humming-bird with a stone . . . But the earth in our games bowed like the maidservant,
    the one who has the right to a chair when we are indoors.

    . . . Vegetable fervours, O radiance O favours! . . .
And then those flies, that sort of fly, toward the last terrace of the garden, which were as though the light had sung!

    . . . I remember the salt, I remember the salt my yellow nurse had to wipe away at the corner of my eyes.
The black sorcerer aphorized in the servants' hall: "The world is like a pirogue turning around and around, which no longer knows whether the wind wants to laugh or cry . . ."
And straightway my eyes tried to paint
a world poised between shining waters, recognized the smooth mast of the tree trunks, the main-top under the leaves, and the booms and the yards and the shrouds of vines,
    where flowers, too long,
    ended in parrot calls.

3

. . . THEN those flies, that sort of fly, and the last terrace of the garden . . . Someone is calling. I'll go . . . I speak in esteem.
    —Other than childhood, what was there in those days that there no longer is?

POUR FÊTER UNE ENFANCE

Plaines! Pentes! Il y
avait plus d'ordre! Et tout n'était que règnes et confins de lueurs. Et l'ombre et la lumière alors étaient plus près d'être une même chose . . . Je parle d'une estime . . . Aux lisières le fruit
pouvait choir
sans que la joie pourrît au rebord de nos lèvres.
Et les hommes remuaient plus d'ombre avec une bouche plus grave, les femmes plus de songe avec des bras plus lents.

. . . Croissent mes membres, et pèsent, nourris d'âge! Je ne connaîtrai plus qu'aucun lieu de moulins et de cannes, pour le songe des enfants, fût en eaux vives et chantantes ainsi distribué . . . A droite
on rentrait le café, à gauche le manioc
(ô toiles que l'on plie, ô choses élogieuses!)
Et par ici étaient les chevaux bien marqués, les mulets au poil ras, et par là-bas les bœufs;
ici les fouets, et là le cri de l'oiseau Annaô—et là encore la blessure des cannes au moulin.
Et un nuage
violet et jaune, couleur d'icaque, s'il s'arrêtait soudain à couronner le volcan d'or,
appelait-par-leur-nom, du fond des cases,
les servantes!

Sinon l'enfance, qu'y avait-il alors qu'il n'y a plus? . . .

TO CELEBRATE A CHILDHOOD

Plains, Slopes! There
was greater order! And everything was glimmering realms and frontiers of lights. And shade and light in those days were more nearly the same thing . . . I speak of an esteem . . . Along the borders the fruits
might fall
without rotting on our lips.
And men with graver mouths stirred deeper shadows, women more dreams with slower arms.

My limbs grow and wax heavy, nourished with age! I shall not know again any place of mills and sugar-cane, for children's dream, that in living, singing waters was thus distributed . . . To the right
the coffee was brought in, to the left the manioc
(O canvas being folded, O praise-giving things!)
And over here were the horses duly marked, smooth-coated mules, and over there the oxen;
here the whips, and there the cry of the bird Annaô—
and still there the wound of the sugar-canes at the mill.
And a cloud
yellow and violet, colour of the coco plum, if it stopped suddenly to crown the gold volcano,
called-by-their-name, out of their cabins,
the servant women!

Other than childhood, what was there in those days that there no longer is? . . .

POUR FÊTER UNE ENFANCE

4

Et tout n'était que règnes et confins de lueurs. Et les troupeaux montaient, les vaches sentaient le sirop-de-batterie
. . . Croissent mes membres
    et pèsent, nourris d'âge! Je me souviens des pleurs
d'un jour trop beau dans trop d'effroi, dans trop d'effroi! . . . du ciel blanc, ô silence! qui flamba comme un regard de fièvre . . . Je pleure, comme je
    pleure, au creux de vieilles douces mains . . .
        Oh! c'est un pur sanglot, qui ne veut être secouru, oh! ce n'est que cela, et qui déjà berce mon front comme une grosse étoile du matin.

. . . Que ta mère était belle, était pâle
    lorsque si grande et lasse, à se pencher,
        elle assurait ton lourd chapeau de paille ou de soleil, coiffé d'une double feuille de siguine,
            et que, perçant un rêve aux ombres dévoué, l'éclat des mousselines
                inondait ton sommeil!

. . . Ma bonne était métisse et sentait le ricin; toujours j'ai vu qu'il y avait les perles d'une sueur brillante sur son front, à l'entour de ses yeux—et si tiède, sa bouche avait le goût des pommes-rose, dans la rivière, avant midi.

. . . Mais de l'aïeule jaunissante
    et qui si bien savait soigner la piqûre des moustiques,

TO CELEBRATE A CHILDHOOD

4

And everything was glimmering realms and frontiers of lights. And herds climbed, the cows smelled of cane syrup . . . My limbs grow
   and wax heavy, nourished with age! I remember the tears
   on a day too beautiful in too much fright, in too much fright! . . . and the white sky, O silence! which flamed like a fevered gaze . . . I weep, how I
   weep in the hollow of old gentle hands . . .
   Oh! it is a pure sob that will not be comforted, oh! it is only that, already rocking my forehead like a big morning star.

   . . . How beautiful your mother was, how pale,
   when so tall and so languid, stooping,
   she straightened your heavy hat of straw or of sun, lined with a double seguine leaf,
   and when, piercing a dream to shadows consecrated, the dazzle of muslin
   inundated your sleep!

   . . . My nurse was a mestizo and smelled of the castor-bean; always I noticed there were pearls of glistening sweat on her forehead, and around her eyes—and so warm, her mouth had the taste of rose-apples, in the river, before noon.

   . . . But of my yellowing grandmother
   who knew so well what to do for mosquito bites,

je dirai qu'on est belle, quand on a des bas blancs, et que s'en vient, par la persienne, la sage fleur de feu vers vos longues paupières
    d'ivoire.

    . . . *Et je n'ai pas connu toutes Leurs voix, et je n'ai pas connu toutes les femmes, tous les hommes qui servaient dans la haute demeure*
    de bois; mais pour longtemps encore j'ai mémoire
    des faces insonores, couleur de papaye et d'ennui, qui s'arrêtaient derrière nos chaises comme des astres morts.

5

    . . . O! J'AI *lieu de louer!*
    Mon front sous des mains jaunes,
    mon front, te souvient-il des nocturnes sueurs?
    du minuit vain de fièvre et d'un goût de citerne?
    et des fleurs d'aube bleue à danser sur les criques du matin
    et de l'heure midi plus sonore qu'un moustique, et des flèches lancées par la mer de couleurs . . . ?

    O j'ai lieu! ô j'ai lieu de louer!
    Il y avait à quai de hauts navires à musique. Il y avait des promontoires de campêche; des fruits de bois qui éclataient . . .
    Mais qu'a-t-on fait des hauts navires à musique qu'il y avait à quai?

TO CELEBRATE A CHILDHOOD

I say that one is beautiful when one is wearing white stockings, and when there comes through the shutters the wise flower of fire towards your long eyelids
of ivory.

. . . And I never knew all Their voices, and I never knew all the women and all the men who served in our high
wooden house; but I shall still long remember
mute faces, the colour of papayas and of boredom, that paused like burnt-out stars behind our chairs.

5

. . . O! I have cause to praise!
My forehead under yellow hands,
my forehead, do you remember the night sweats?
midnight unreal with fever and with a taste of cisterns?
and the flowers of blue dawn dancing on the bays of morning
and the hour of noon more sonorous than a mosquito, and arrows shot out by the sea of colours? . . .

O I have cause! O I have cause to praise!
There were high musical ships at the quay. There were headlands of logwood trees; and wooden fruits that burst
. . . But what has become of the high musical ships that were moored at the quay?

POUR FÊTER UNE ENFANCE

Palmes . . . ! Alors
une mer plus crédule et hantée d'invisibles départs,
étagée comme un ciel au-dessus des vergers,
se gorgeait de fruits d'or, de poissons violets et d'oiseaux.
Alors, des parfums plus affables, frayant aux cimes les plus fastes,
ébruitaient ce souffle d'un autre âge,
et par le seul artifice du cannelier au jardin de mon père—ô feintes!
glorieux d'écailles et d'armures un monde trouble délirait.
(. . . O j'ai lieu de louer! O fable généreuse, ô table d'abondance!)

6

P<small>ALMES</small>!
 et sur la craquante demeure tant de lances de flamme!

. . . Les voix étaient un bruit lumineux sous-le-vent . . . La barque de mon père, studieuse, amenait de grandes figures blanches: peut-être bien, en somme, des Anges dépeignés; ou bien des hommes sains, vêtus de belle toile et casqués de sureau (comme mon père, qui fut noble et décent).

. . . Car au matin, sur les champs pâles de l'Eau nue, au long de l'Ouest, j'ai vu marcher des Princes et leurs Gendres, des hommes d'un haut rang, tous bien vêtus et se taisant, parce que

TO CELEBRATE A CHILDHOOD

Palms! . . . In those days
a more credulous sea and haunted by invisible departures,
tiered like a sky above orchards,
was gorged with gold fruit, violet fishes, and birds.
In those days more affable perfumes, frequenting the crests of the most sumptuous trees,
betrayed that breath of another age,
and by the sole artifice of the cinnamon tree in my father's garden—O wiles!—
glorious with scales and armour a vague world ran riot.
(. . . O I have cause to praise! O bountiful fable, O table of abundance!)

6

Palms!
and on the crackling house such spears of fire!

. . . The voices were a bright noise on the wind . . . Reverently, my father's boat brought tall white forms: really, wind-blown angels perhaps; or else wholesome men dressed in good linen with pith helmets (like my father, who was noble and seemly).

For in the morning, on the pale meadows of the naked Water, all along the West, I saw Princes walking, and their Kinsmen, men of high rank, all well dressed and silent,

19

la mer avant midi est un Dimanche où le sommeil a pris le corps d'un Dieu, pliant ses jambes.

Et des torches, à midi, se haussèrent pour mes fuites.
Et je crois que des Arches, des Salles d'ébène et de fer-blanc s'allumèrent chaque soir au songe des volcans,
à l'heure où l'on joignait nos mains devant l'idole à robe de gala.

Palmes! et la douceur
d'une vieillesse des racines . . . ! Les souffles alizés, les ramiers et la chatte marronne
trouaient l'amer feuillage où, dans la crudité d'un soir au parfum de Déluge,
les lunes roses et vertes pendaient comme des mangues.

✶

. . . Or les Oncles parlaient bas à ma mère. Ils avaient attaché leur cheval à la porte. Et la Maison durait, sous les arbres à plumes.

1907

because the sea before noon is a Sunday where sleep has taken on the body of a God bending his knees.

And torches, at noon, were raised for my flights.
And I believe that Arches, Halls of ebony and tin were lighted every evening at the dream of the volcanoes,
at the hour when our hands were joined before the idol in gala robes.

Palms! and the sweetness
of an aging of roots! . . . the breath of the trade winds, wild doves and the feral cat
piercing the bitter foliage where, in the rawness of an evening with an odour of Deluge,
moons, rose and green, were hanging like mangoes.

∗

. . . And the Uncles in low voices talked with my mother. They had hitched their horses at the gate. And the House endured under the plumed trees.

1907

ÉLOGES

1

Les viandes grillent en plein vent, les sauces se composent
et la fumée remonte les chemins à vif et rejoint qui marchait.
Alors le Songeur aux joues sales
se tire
d'un vieux songe tout rayé de violences, de ruses et d'éclats,
et orné de sueurs, vers l'odeur de la viande
il descend
comme une femme qui traîne: ses toiles, tout son linge et ses
cheveux défaits.

2

J'ai aimé un cheval—qui était-ce?—il m'a bien regardé de face, sous ses mèches.

Les trous vivants de ses narines étaient deux choses belles à voir—avec ce trou vivant qui gonfle au-dessus de chaque œil.

TO CELEBRATE A CHILDHOOD

because the sea before noon is a Sunday where sleep has taken on the body of a God bending his knees.

And torches, at noon, were raised for my flights.
And I believe that Arches, Halls of ebony and tin were lighted every evening at the dream of the volcanoes,
at the hour when our hands were joined before the idol in gala robes.

Palms! and the sweetness
of an aging of roots! . . . the breath of the trade winds, wild doves and the feral cat
piercing the bitter foliage where, in the rawness of an evening with an odour of Deluge,
moons, rose and green, were hanging like mangoes.

*

. . . And the Uncles in low voices talked with my mother. They had hitched their horses at the gate. And the House endured under the plumed trees.

1907

ÉLOGES

1

L ES *viandes grillent en plein vent, les sauces se composent et la fumée remonte les chemins à vif et rejoint qui marchait. Alors le Songeur aux joues sales*
se tire
d'un vieux songe tout rayé de violences, de ruses et d'éclats, et orné de sueurs, vers l'odeur de la viande
il descend
comme une femme qui traîne: ses toiles, tout son linge et ses cheveux défaits.

2

J' AI *aimé un cheval—qui était-ce?—il m'a bien regardé de face, sous ses mèches.*

Les trous vivants de ses narines étaient deux choses belles à voir—avec ce trou vivant qui gonfle au-dessus de chaque œil.

PRAISES

1

MEATS broil in the open air, sauces are brewing
    and the smoke goes up the raw paths and overtakes someone walking.
    Then the Dreamer with dirty cheeks
    comes slowly out of
    an old dream all streaked with violences, wiles, and splendour,
    and jewelled in sweat, toward the odour of meat
    he descends
    like a woman trailing: her linen, all her clothes, and her hanging hair.

2

I LOVED a horse—who was he?—he looked me straight in the face, under his forelock.
    The living holes of his nostrils were two beautiful things to see—with that living hole that swells over each eye.

ÉLOGES

*Quand il avait couru, il suait: c'est briller!—et j'ai pressé
des lunes à ses flancs sous mes genoux d'enfant . . .*

*J'ai aimé un cheval—qui était-ce?—et parfois (car une bête
sait mieux quelles forces nous vantent)*

*il levait à ses dieux une tête d'airain: soufflante, sillonnée
d'un pétiole de veines.*

3

Les *rythmes de l'orgueil descendent les mornes rouges.*
Les tortues roulent aux détroits comme des astres bruns.
Des rades font un songe plein de têtes d'enfants . . .

Sois un homme aux yeux calmes qui rit,
*silencieux qui rit sous l'aile calme du sourcil, perfection du
vol (et du bord immobile du cil il fait retour aux choses qu'il a
vues, empruntant les chemins de la mer frauduleuse . . . et du
bord immobile du cil*
il nous a fait plus d'une promesse d'îles,
comme celui qui dit à un plus jeune: «Tu verras!»
Et c'est lui qui s'entend avec le maître du navire.)

4

Azur! *nos bêtes sont bondées d'un cri!*
*Je m'éveille, songeant au fruit noir de l'Anibe dans sa cupule
verruqueuse et tronquée . . . Ah bien! les crabes ont dévoré tout*

PRAISES

When he had run, he sweated: which means to shine!
—and under my child's knees I pressed moons on his flanks . . .

I loved a horse—who was he?—and sometimes (for an animal knows better the forces that praise us)

Puffing, he would lift to his gods a head of bronze, covered with a petiole of veins.

3

Rhythms of pride flow down the red mornes.
Turtles roll in the narrows like brown stars.
Roadsteads dream dreams full of children's heads . . .

Be a man with calm eyes who laughs,
who silently laughs under the calm wing of his eyebrow, perfection of flight (and from the immobile rim of the lashes he turns back to the things he has seen, borrowing the paths of the fraudulent sea . . . and from the immobile rim of the lashes
more than one promise has he made us of islands,
as one who says to someone younger: "You will see!"
And it is he who treats with the master of the ship).

4

Azure! our beasts are bursting with a cry!
I awake dreaming of the black fruit of the Aniba in its warty and truncated cupule . . . Well! the crabs have de-

25

un arbre à fruits mous. Un autre est plein de cicatrices, ses fleurs poussaient, succulentes, au tronc. Et un autre, on ne peut le toucher de la main, comme on prend à témoin, sans qu'il pleuve aussitôt de ces mouches, couleurs! . . . Les fourmis courent en deux sens. Des femmes rient toutes seules dans les abutilons, ces fleurs jaunes-tachées-de-noir-pourpre-à-la-base que l'on emploie dans la diarrhée des bêtes à cornes . . . Et le sexe sent bon. La sueur s'ouvre un chemin frais. Un homme seul mettrait son nez dans le pli de son bras. Ces rives gonflent, s'écroulent sous des couches d'insectes aux noces saugrenues. La rame a bourgeonné dans la main du rameur. Un chien vivant au bout d'un croc est le meilleur appât pour le requin . . .

—Je m'éveille songeant au fruit noir de l'Anibe; à des fleurs en paquets sous l'aisselle des feuilles.

5

. . . Or ces *eaux calmes sont de lait*
et tout ce qui s'épanche aux solitudes molles du matin.
Le pont lavé, avant le jour, d'une eau pareille en songe au mélange de l'aube, fait une belle relation du ciel. Et l'enfance adorable du jour, par la treille des tentes roulées, descend à même ma chanson.

Enfance, mon amour, n'était-ce que cela? . . .
Enfance, mon amour . . . ce double anneau de l'œil et l'aisance d'aimer . . .

voured a whole tree of soft fruits. Another is covered with scars, its flowers were growing, succulent, out of the trunk. And another, you can't touch it with your hand, the way you bear witness, without suddenly there raining down such flies —colours! . . . The ants hurry in opposite directions. Those women are laughing all alone in the abutilons, the yellow-spotted-black-purple-at-the-base flowers that are used for the diarrhoea of horned animals . . . And there is the good odour of sex. Sweat makes a cool path. A man alone would bury his nose in his armpit. Those shores are swelling, crumbling under a layer of insects celebrating absurd nuptials. The oar has budded in the hand of the oarsman. A live dog on the end of a hook is the best bait for the shark . . .

I awake dreaming of the black fruit of the Aniba; of flowers in bundles under the axil of the leaves.

5

. . . Now these calm waters are made of milk
and everything that overflows in the soft solitudes of morning.

The deck, washed before daybreak with a water like the mixture of dawn in a dream, gives a splendid account of the sky. And the adorable childhood of day, through the trellis of furled canvas, descends along my song.

Childhood, my love, was it only that? . . .
Childhood, my love . . . that double ring of the eye and the ease of loving . . .

ÉLOGES

Il fait si calme et puis si tiède,
il fait si continuel aussi,
qu'il est étrange d'être là, mêlé des mains à la
facilité du jour . . .

Enfance mon amour! il n'est que de céder . . . Et l'ai-je
dit, alors? je ne veux plus même de ces linges
 à remuer, dans l'incurable, aux solitudes vertes du ma-
tin . . . Et l'ai-je dit, alors? il ne faut que servir
 comme de vieille corde . . . Et ce cœur, et ce cœur, là! qu'il
traîne sur les ponts, plus humble et plus sauvage et plus, qu'un
vieux faubert,
 exténué . . .

6

ET D'AUTRES *montent, à leur tour, sur le pont*
 et moi je prie, encore, qu'on ne tende la toile . . . mais pour
cette lanterne, vous pouvez bien l'éteindre . . .
 Enfance, mon amour! c'est le matin, ce sont
  des choses douces qui supplient, comme la haine de chanter,
  douces comme la honte, qui tremble sur les lèvres, des choses
dites de profil,
 ô douces, et qui supplient, comme la voix la plus douce du
mâle s'il consent à plier son âme rauque vers qui plie . . .
 Et à présent je vous le demande, n'est-ce pas le matin . . .
une aisance du souffle
 et l'enfance agressive du jour, douce comme le chant qui
étire les yeux?

28

It is too calm and then so warm,
so continuous too,
that it is strange to be there, hands plunged in the facility of day . . .

Childhood, my love! nothing to do but to yield . . . And did I say, then? I don't even want those linens now
to stir in the incurable, there in the green solitudes of morning . . . And did I say, then? one has only to serve
like an old rope . . . And that heart, and that heart, there! let it drag on the decks, more humble and untamed and more, than an old swab,
exhausted . . .

6

And others come up on the deck in their turn
and again I beg them not to hoist sail . . . but as for that lantern, you might as well put it out . . .
Childhood, my love! it is morning, it is
gentle things that implore, like the hatred of singing,
gentle as the shame that trembles on the lips of things said in profile,
O gentle, and imploring, like the voice of the male at its gentlest when willing to bend his harsh soul toward someone who bends . . .
And now I am asking you, isn't it morning . . . a freedom of breath
and the aggressive childhood of day, gentle as the song that half closes the eyes?

7

Un peu *de ciel bleuit au versant de nos ongles. La journée sera chaude où s'épaissit le feu. Voici la chose comme elle sera:*
    un grésillement aux gouffres écarlates, l'abîme piétiné des buffles de la joie (ô joie inexplicable sinon par la lumière!) Et le malade, en mer, dira
    qu'on arrête le bateau pour qu'on puisse l'ausculter.
    Et grand loisir alors à tous ceux de l'arrière, les ruées du silence refluant à nos fronts . . . Un oiseau qui suivait, son vol l'emporte par-dessus tête, il évite le mât, il passe, nous montrant ses pattes roses de pigeon, sauvage comme Cambyse et doux comme Assuérus . . . Et le plus jeune des voyageurs, s'asseyant de trois quarts sur la lisse: « Je veux bien vous parler des sources sous la mer . . .» (on le prie de conter)
    —Cependant le bateau fait une ombre vert-bleue; paisible, clairvoyante, envahie de glucoses où paissent
    en bandes souples qui sinuent
    ces poissons qui s'en vont comme le thème au long du chant.

    . . . Et moi, plein de santé, je vois cela, je vais près du malade et lui conte cela:
    et voici qu'il me hait.

7

A BIT of sky grows blue on the slope of our nails. The day will be hot where the fire thickens. This is how it will be:

a crackling in the scarlet chasms, the abyss trampled by buffaloes of joy (O joy inexplicable except by light!). And out at sea, the sick man will ask them

to stop the ship so they can listen to his chest.

And great leisure then for all those in the stern, surges of silence ebbing over our foreheads . . . A bird that was following, his flight sweeps him overhead, he misses the mast, he sails by, showing us his pigeon-pink claws, wild as Cambyses and gentle as Ahasuerus . . . And the youngest of the travellers, sitting on the taffrail: "I want to tell you about the springs under the sea . . ." (they beg him to tell).

—Meanwhile the ship casts a green-blue shadow; peaceful, clairvoyant, permeated with glucose where graze

in supple and sinuating bands

those fish that move like the theme along the song.

. . . And I, full of health, I see this, I approach
the sick man and tell him about it:
and then how he hates me.

8

Au négociant *le porche sur la mer, et le toit au faiseur d'almanachs! . . . Mais pour un autre le voilier au fond des criques de vin noir, et cette odeur! et cette odeur avide du bois mort, qui fait songer aux taches du Soleil, aux astronomes, à la mort . . .*

—Ce navire est à nous et mon enfance n'a sa fin.
J'ai vu bien des poissons qu'on m'enseigne à nommer. J'ai vu bien d'autres choses, qu'on ne voit qu'en pleine Eau; et d'autres qui sont mortes; et d'autres qui sont feintes . . . Et ni
les paons de Salomon, ni la fleur peinte au baudrier des Ras, ni l'ocelot nourri de viande humaine, devant les dieux de cuivre, par Montezuma
ne passent en couleurs
ce poisson buissonneux hissé par-dessus bord pour amuser ma mère qui est jeune et qui bâille.

. . . Des arbres pourrissaient au fond des criques de vin noir.

9

. . . Oh finissez! *si vous parlez encore*
d'atterrir, j'aime mieux vous le dire,
je me jetterai là sous vos yeux.

8

To the merchant the porch on the sea, and the roof to the maker of almanacs! . . . But for another the sail at the far end of creeks of black wine, and that smell! that avid smell of dead wood, making one think of Sun spots, astronomers, and death . . .

—This ship is ours and my childhood is not over.
I have seen many fishes and am taught all their names. I have seen many other things that can only be seen far out on the Water; and others that are dead; and others that are make-believe . . . And neither
    the peacocks of Solomon, nor the flower painted on the baldric of the Ras, nor the ocelot fed on human flesh, before the bronze gods, by Montezuma
    surpass in colour
    this bushy fish hoisted aboard to entertain my mother who is young and who yawns.

    . . . Trees were rotting at the far end of creeks of black wine.

9

    . . . Oh be quiet! If you speak of landing
    again, let me tell you right now,
    I'll throw myself overboard under your eyes.

La voile dit un mot sec, et retombe. Que faire?
Le chien se jette à l'eau et fait le tour de l'Arche.
Céder! comme l'écoute.

. . . *Détachez la chaloupe*
ou ne le faites pas, ou décidez encore
qu'on se baigne . . . *Cela me va aussi.*

. . . *Tout l'intime de l'eau se resonge en silence aux contrées de la toile.*
Allez, c'est une belle histoire qui s'organise là
—ô spondée du silence étiré sur ses longues!

. . . *Et moi qui vous parlais, je ne sais rien, ni d'aussi fort, ni d'aussi nu*
qu'en travers du bateau, ciliée de ris et nous longeant, notre limite,
la grand'voile irritable couleur de cerveau.

. . . *Actes, fêtes du front, et fêtes de la nuque!* . . .
et ces clameurs, et ces silences! et ces nouvelles en voyage et ces messages par marées, ô libations du jour! . . . *et la présence de la voile, grande âme malaisée, la voile étrange, là, et chaleureuse révélée, comme la présence d'une joue* . . . *O*
bouffées! . . . *Vraiment j'habite la gorge d'un dieu.*

. . . The sail utters an abrupt word, and falls back again. What's to be done?

The dog jumps into the water and takes a turn round the Ark.

Yield! Like the sail.

. . . Cast off the ship's boat
or else don't, or decide
to go swimming . . . that suits me too.

All the secret being of the water is silently redreamed in the countries of the sail.

Indeed, a fine story being composed there

—O spondee of silence with the longs drawn out!

. . . And I who am telling you, I know of nothing so strong or so naked

as, across the boat, ciliated with reef-points, and grazing us, our limit,

the irritable mainsail the colour of brains.

. . . Acts, feasts for the forehead and feasts for the nape! . . .

and those clamours, those silences! and those tidings on a journey and those messages on the tides, O libations of the day! . . . and the presence of the sail, great restless soul, the sail, strange there, showing warm, like the presence of a cheek . . . O

gusts! . . . Truly I inhabit the throat of a God.

10

Pour débarquer des bœufs et des mulets,
 on donne à l'eau, par-dessus bord, ces dieux coulés en or et frottés de résine.
 L'eau les vante! jaillit!
 et nous les attendons à quai, avec des lattes élevées en guise de flambeaux; et nous tenons les yeux fixés sur l'étoile de ces fronts
 —étant là tout un peuple dénué, vêtu de son luisant, et sobre.

11

Comme des lames de fond
 on tire aux magasins de grandes feuilles souples de métal: arides, frémissantes et qui versent, capté, tout un versant du ciel.
 Pour voir, se mettre à l'ombre. Sinon, rien.
 La ville est jaune de rancune. Le Soleil précipite dans les darses une querelle de tonnerres. Un vaisseau de fritures coule au bout de la rue
 raboteuse, qui de l'autre, bombant, s'apprivoise parmi la poudre des tombeaux.
 (Car c'est le Cimetière, là, qui règne si haut, à flanc de pierre ponce: foré de chambres, planté d'arbres qui sont comme des dos de casoars.)

PRAISES

10

To land oxen and mules,
 those gods cast in gold and polished with resin are given overboard to the water.
 The water lauds them! leaps up!
 and we wait for them on the quay, with lifted rods instead of torches; and we keep our eyes fixed on the star on their foreheads—a whole destitute people dressed in its shine, and sober.

11

Like ground swells
 great undulating sheets of metal are dragged to the warehouses: dry, shivering, and spilling a whole slope of captured sky.
 To see, go into the shade. Otherwise, nothing.
 The city is yellow with rancour. The Sun in the roadsteads precipitates a prodigious quarrel. A boat with fish frying sinks at one end of the rough
 street, which, at the other, arching, is tamed in the dust of the tombs.
 (For it is the Cemetery that reigns so high, up there, with its pumice-stone flank: riddled with chambers, planted with trees that look like cassowaries' backs.)

12

Nous *avons un clergé, de la chaux.*
    Je vois briller les feux d'un campement de Soudeurs . . .

    —Les morts de cataclysme, comme des bêtes épluchées,
dans ces boîtes de zinc portées par les Notables et qui reviennent de la Mairie par la grand'rue barrée d'eau verte (ô bannières gaufrées comme des dos de chenilles, et une enfance en noir pendue à des glands d'or!)
    sont mis en tas, pour un moment, sur la place couverte du Marché:
    où debout
    et vivant
    et vêtu d'un vieux sac qui fleure bon le riz,
    un nègre dont le poil est de la laine de mouton noir grandit comme un prophète qui va crier dans une conque—cependant que le ciel pommelé annonce pour ce soir
    un autre tremblement de terre.

13

La tête *de poisson ricane*
    entre les pis du chat crevé qui gonfle—vert ou mauve?—Le poil, couleur d'écaille, est misérable, colle,
    comme la mèche que suce une très vieille petite fille osseuse, aux mains blanches de lèpre.

12

We have priests, we have lime.
 I can see the glow of the fires of a Solderers' camp . . .

 —The victims of disaster, like plucked animals,
 in those zinc boxes borne by the Notables who are coming back from the Town Hall along the main street crossed by green water (O banners diapered like caterpillars' backs, and children in black hanging to gold tassels!)
 are piled up for a moment on the covered Market Place:
 where erect
 and alive
 and dressed in an old sack good-smelling of rice,
 a Negro whose hair is black sheep's wool rises like a prophet about to shout into a conch—while the dappled sky for this evening predicts
 another earthquake.

13

The fish-head sneers
 in the midst of the dugs of the dead cat that is beginning to swell—green or mauve?—Its fur, the colour of tortoise-shell, is miserable and sticky,
 like the lock of hair that a very old little girl, bony and with leper-white hands, is sucking.

La chienne rose traîne, à la barbe du pauvre, toute une viande de mamelles. Et la marchande de bonbons
    se bat
      contre les guêpes dont le vol est pareil aux morsures du jour sur le dos de la mer. Un enfant voit cela,
    si beau
      qu'il ne peut plus fermer ses doigts . . . Mais le coco que l'on a bu et lancé là, tête aveugle qui clame affranchie de l'épaule,
    détourne du dalot
      la splendeur des eaux pourpres lamées de graisses et d'urines, où trame le savon comme de la toile d'araignée.

✶

    Sur la chaussée de cornaline, une fille vêtue comme un roi de Lydie.

14

Silencieusement *va la sève et débouche aux rives minces de la feuille.*
    Voici d'un ciel de paille où lancer, ô lancer! à tour de bras la torche!
    Pour moi, j'ai retiré mes pieds.
    O mes amis où êtes-vous que je ne connais pas? . . . Ne verrez-vous cela aussi? . . . des havres crépitants, de belles eaux de cuivre mol où midi émetteur de cymbales troue l'ardeur de son puits . . . O c'est l'heure

      où dans les villes surchauffées, au fond des cours gluantes

The pink bitch drags, under the beggar's nose, a whole banquet of dugs. And the candy-girl
  battles
the wasps whose flight is like the bites of sunlight on the back of the sea. A child sees it all,
  so beautiful
that he can no longer close his fingers . . . But the coconut that's been drained and tossed there, blind clamouring head set free from the shoulder,
  diverts from the gutter
the metallic splendour of the purple waters mottled with grease and urine, where soap weaves a spider's web.

*

On the carnelian quay, a girl dressed like a Lydian king.

14

Silently flows the sap and comes out on the slender shores of the leaf.

Behold, what a sky of straw into which to hurl, O hurl! with all one's might the torch!

As for me, I have drawn back my feet.

O my friends where are you, whom I do not know? . . . Can't you see this too? . . . harbours crackling, splendid waters of soft copper where noon, crumbler of cymbals, pierces the ardour of its well . . . O it is the hour

when, in the scorching cities, at the back of viscous court-

*sous les treilles glacées, l'eau coule aux bassins clos violée
des roses vertes de midi . . . et l'eau nue est pareille à la
pulpe d'un songe, et le Songeur est couché là, et il tient au
plafond son œil d'or qui guerroie . . .*

*Et l'enfant qui revient de l'école des Pères, affectueux
longeant l'affection des Murs qui sentent le pain chaud, voit au
bout de la rue où il tourne*

*la mer déserte plus bruyante qu'une criée aux poissons. Et
les boucauts de sucre coulent, aux Quais de marcassite peints,
à grands ramages, de pétrole*

*et des nègres porteurs de bêtes écorchées s'agenouillent aux
faïences des Boucheries Modèles, déchargeant un faix d'os et
d'ahan,*

*et au rond-point de la Halle de bronze, haute demeure cour-
roucée où pendent les poissons et qu'on entend chanter dans sa
feuille de fer, un homme glabre, en cotonnade jaune, pousse un
cri: je suis Dieu! et d'autres: il est fou!*

*et un autre envahi par le goût de tuer se met en marche vers
le Château-d'Eau avec trois billes de poison: rose, verte, indigo.*

Pour moi, j'ai retiré mes pieds.

15

Enfance, *mon amour, j'ai bien aimé le soir aussi: c'est
l'heure de sortir.*

*Nos bonnes sont entrées aux corolles des robes . . . et collés
aux persiennes, sous nos tresses glacées, nous avons*

yards, water flows in the enclosed baths under chill arbors, violated

by noon-green roses . . . and the naked water is like the pulp of a dream, and the Dreamer is lying there, and he fixes on the ceiling his bellicose golden eye . . .

And the child coming home from the Fathers' school, affectionate, hugging the affection of the Walls that smell of hot bread, sees at the end of the street where it turns

the sea deserted and noisier than a fish auction. And the kegs of sugar drip on the Quays of marcasite painted in great festoons with fuel oil,

and Negroes, porters of skinned animals, kneel at the tile counters of the Model Butcher Shops, discharging a burden of bones and of groans,

and in the center of the Market of bronze, high exasperated abode where fishes hang and that can be heard singing in its sheet of tin, a hairless man in yellow cotton cloth gives a shout: I am God! and other voices: he is mad!

and another filled with an urge to kill starts toward the Reservoir with three balls of poison: rose, green, indigo.

As for me, I have drawn back my feet.

15

CHILDHOOD, my love, I loved evening too: it is the hour for going out.

Our nurses have gone into the corolla of their dresses . . . and glued to the blinds, under our clammy hair, we have

vu comme lisses, comme nues, elles élèvent à bout de bras l'anneau mou de la robe.

Nos mères vont descendre, parfumées avec l'herbe-à-Madame-Lalie . . . Leurs cous sont beaux. Va devant et annonce: Ma mère est la plus belle!—J'entends déjà
 les toiles empesées
 qui traînent par les chambres un doux bruit de tonnerre . . .
Et la Maison! la Maison? . . . on en sort!
 Le vieillard même m'envierait une paire de crécelles
 et de bruire par les mains comme une liane à pois, la guilandine ou le mucune.

Ceux qui sont vieux dans le pays tirent une chaise sur la cour, boivent des punchs couleur de pus.

16

. . . Ceux qui sont vieux dans le pays le plus tôt sont levés
 à pousser le volet et regarder le ciel, la mer qui change de couleur
  et les îles, disant: la journée sera belle si l'on en juge par cette aube.

Aussitôt c'est le jour! et la tôle des toits s'allume dans la transe, et la rade est livrée au malaise, et le ciel à la verve, et le Conteur s'élance dans la veille!

La mer, entre les îles, est rose de luxure; son plaisir est matière à débattre, on l'a eu pour un lot de bracelets de cuivre!

seen as smooth, as bare, they lifted at arm's length the soft ring of the dresses.

Our mothers will be coming down, perfumed with *l'herbe-à-Madame-Lalie* . . . Their necks are beautiful. Run ahead and announce: My mother is the most beautiful!—Already I can hear

the starched petticoats

trailing through the rooms a soft noise of thunder . . . And the House! the House? . . . we go out of it!

Even the old man would envy me a pair of rattles and

being able to make a noise with my hands like a wild pea vine, the guilandina or the mucuna.

Those who are old in the country drag a chair to the courtyard, drink punches the color of pus.

16

. . . Those who are old in the country are the earliest risen

to push open the shutters and to look at the sky, the sea changing colour

and the islands, saying: the day will be fine to judge by this dawn.

Suddenly it is day! and the tin of the roofs lights up in a trance, the roadstead is a prey to uneasiness, the sky full of zest, and the Storyteller plunges into his vigil!

The sea, between the islands, is rosy with lust; its pleasure is bargaining, it was had for a batch of bronze bracelets!

ÉLOGES

Des enfants courent aux rivages! des chevaux courent aux rivages! . . . un million d'enfants portant leurs cils comme des ombelles . . . et le nageur

a une jambe en eau tiède mais l'autre pèse dans un courant frais; et les gomphrènes, les ramies,
l'acalyphe à fleurs vertes et ces piléas cespiteuses qui sont la barbe des vieux murs
s'affolent sur les toits, au rebord des gouttières,

car un vent, le plus frais de l'année, se lève, aux bassins d'îles qui bleuissent,
et déferlant jusqu'à ces cayes plates, nos maisons, coule au sein du vieillard
par le havre de toile jusqu'au lieu plein de crin entre les deux mamelles.

Et la journée est entamée, le monde
n'est pas si vieux que soudain il n'ait ri . . .

✶

C'est alors que l'odeur du café remonte l'escalier.

17

«Quand *vous aurez fini de me coiffer, j'aurai fini de vous haïr.*»
L'enfant veut qu'on le peigne sur le pas de la porte.

Children run to the shore! horses run to the shore! . . . a million children wearing their lashes like umbels . . . and the swimmer

has one leg in warm water while the other is heavy in a cool current; and gomphrena, ramie,
 acalypha with green flowers, and those tufted pilea that are the beards of old walls
 are in a frenzy on the roofs, along the edge of the gutters,

for a wind, the coolest of the year, rises in the sounds between the islands growing blue,
 and unfurling over these flat cays, our houses, flows over the old man's chest
 through the haven of cotton to the hairy place between his breasts.

And the day is begun, and the world
is not too old to burst into laughter . . .

*

It is then that the odour of coffee ascends the stairs.

17

"When you stop combing my hair, I'll stop hating you."
The child wants his hair combed on the doorstep.

«Ne tirez pas ainsi sur mes cheveux. C'est déjà bien assez qu'il faille qu'on me touche. Quand vous m'aurez coiffé, je vous aurai haïe.»

Cependant la sagesse du jour prend forme d'un bel arbre et l'arbre balancé
qui perd une pincée d'oiseaux,
aux lagunes du ciel écaille un vert si beau qu'il n'y a de plus vert que la punaise d'eau.

«Ne tirez pas si loin sur mes cheveux . . .»

18

A présent *laissez-moi, je vais seul.*
Je sortirai, car j'ai affaire: un insecte m'attend pour traiter. Je me fais joie
du gros œil à facettes: anguleux, imprévu, comme le fruit du cyprès.
Ou bien j'ai une alliance avec les pierres veinées-bleu: et vous me laissez également,
assis, dans l'amitié de mes genoux.

1908

"Don't pull like that. It's bad enough being touched. When you've finished my hair, I'll have hated you."

Meanwhile the wisdom of day takes the shape of a fine tree
   and the swaying tree,
   loosing a pinch of birds,
   scales off in the lagoons of the sky a green so beautiful, there is nothing that is greener except the water-bug.

"Don't pull on my hair so far . . ."

18

And now let me be, I go alone.

I shall go out, for I have something to do: an insect is waiting to treat with me. I delight in
   his big, faceted eye: angular, unexpected, like the fruit of the cypress.

Or else I have an alliance with the blue-veined stones: and also you'll let me be,
   sitting, in the friendship of my knees.

1908

IMAGES A CRUSOÉ

LES CLOCHES

Vieil *homme aux mains nues,*
 remis entre les hommes, Crusoé!
 tu pleurais, j'imagine, quand des tours de l'Abbaye, comme un flux, s'épanchait le sanglot des cloches sur la Ville . . .
 O Dépouillé!
 Tu pleurais de songer aux brisants sous la lune; aux sifflements de rives plus lointaines; aux musiques étranges qui naissent et s'assourdissent sous l'aile close de la nuit,
 pareilles aux cercles enchaînés que sont les ondes d'une conque, à l'amplification de clameurs sous la mer . . .

LE MUR

Le pan *de mur est en face, pour conjurer le cercle de ton rêve.*
 Mais l'image pousse son cri.
 La tête contre une oreille du fauteuil gras, tu éprouves tes

PICTURES FOR CRUSOE

THE BELLS

Old man with naked hands,
 cast up among men again, Crusoe!
 you wept, I imagine, when from the Abbey towers, like a tide, the sob of the bells poured over the City . . .
 O Despoiled!
 You wept to remember the surf in the moonlight; the whistlings of the more distant shores; the strange music that is born and is muffled under the folded wing of the night,
  like the linked circles that are the waves of a conch, or the amplifications of the clamours under the sea . . .

THE WALL

The stretch of wall is across the way to break the circle of your dream.
 But the image cries out.
 Your head against one wing of the greasy armchair, you

dents avec ta langue: le goût des graisses et des sauces infecte tes gencives.

Et tu songes aux nuées pures sur ton île, quand l'aube verte s'élucide au sein des eaux mystérieuses.

. . . C'est la sueur des sèves en exil, le suint amer des plantes à siliques, l'âcre insinuation des mangliers charnus et l'acide bonheur d'une substance noire dans les gousses.

C'est le miel fauve des fourmis dans les galeries de l'arbre mort.

C'est un goût de fruit vert, dont surit l'aube que tu bois; l'air laiteux enrichi du sel des alizés . . .

Joie! ô joie déliée dans les hauteurs du ciel! Les toiles pures resplendissent, les parvis invisibles sont semés d'herbages et les vertes délices du sol se peignent au siècle d'un long jour . . .

LA VILLE

L'ARDOISE *couvre leurs toitures, ou bien la tuile où végètent les mousses.*

Leur haleine se déverse par le canal des cheminées.
Graisses!
Odeur des hommes pressés, comme d'un abattoir fade! aigres corps des femmes sous les jupes!

O Ville sur le ciel!

Graisses! haleines reprises, et la fumée d'un peuple très suspect—car toute ville ceint l'ordure.

explore your teeth with your tongue: the taste of grease and of sauces taints your gums.

And you dream of the pure clouds over your island, when green dawn grows clear on the breast of the mysterious waters.

. . . It is the sweat of saps in exile, the bitter oozings of plants with long pods, the acrid insinuation of fleshy mangroves, and the acid delight of a black substance within the pods.

It is the wild honey of ants in the galleries of the dead tree.

It is the sour taste of green fruit in the dawn that you drink; the air, milky and spiced with the salt of the trade winds . . .

Joy! O joy set free in the heights of the sky! Pure linens are resplendent, invisible parvises are strewn with grasses and leaves, and the green delights of the earth are painted on the century of a long day . . .

THE CITY

Slate covers the roofs, or else tiles where mosses grow.

Their breath flows out through the chimneys.

Grease!

Odour of men in crowds, like the stale smell of a slaughter-house! sour bodies of women under their skirts!

O City against the sky!

Grease! breaths rebreathed, and the smoke of a polluted people—for every city encompasses filth.

IMAGES A CRUSOÉ

Sur la lucarne de l'échoppe—sur les poubelles de l'hospice —sur l'odeur de vin bleu du quartier des matelots—sur la fontaine qui sanglote dans les cours de police—sur les statues de pierre blette et sur les chiens errants—sur le petit enfant qui siffle, et le mendiant dont les joues tremblent au creux des mâchoires,

sur la chatte malade qui a trois plis au front,
le soir descend, dans la fumée des hommes . . .
—La Ville par le fleuve coule à la mer comme un abcès . . .

Crusoé!—ce soir près de ton Ile, le ciel qui se rapproche louangera la mer, et le silence multipliera l'exclamation des astres solitaires.

Tire les rideaux; n'allume point:

C'est le soir sur ton Ile et à l'entour, ici et là, partout où s'arrondit le vase sans défaut de la mer; c'est le soir couleur de paupières, sur les chemins tissés du ciel et de la mer.

Tout est salé, tout est visqueux et lourd comme la vie des plasmes.

L'oiseau se berce dans sa plume, sous un rêve huileux; le fruit creux, sourd d'insectes, tombe dans l'eau des criques, fouillant son bruit.

L'île s'endort au cirque des eaux vastes, lavée des courants chauds et des laitances grasses, dans la fréquentation des vases somptueuses.

Sous les palétuviers qui la propagent, des poissons lents parmi la boue ont délivré des bulles avec leur tête plate; et d'autres qui sont lents, tachés comme des reptiles, veillent.—Les

PICTURES FOR CRUSOE

On the dormer-window of the little shop—on the garbage cans of the poor-house—on the odour of cheap wine in the sailors' quarter—on the fountain sobbing in the police court-yards—on the statues of mouldy stone and on stray dogs—on the little boy whistling, and the beggar whose cheeks tremble in the hollow of his jaws,

on the sick cat with three wrinkles on its forehead,

the evening descends, in the smoke of men . . .

—The City like an abscess flows through the river to the sea . . .

Crusoe!—this evening over your Island, the sky drawing near will give praise to the sea, and the silence will multiply the exclamation of the solitary stars.

Draw the curtains; do not light the lamp:

It is evening on your Island and all around, here and there, wherever arches the faultless vase of the sea; it is evening the colour of eyelids, on roads woven of sky and of sea.

Everything is salty, everything is viscous and heavy like the life of plasmas.

The bird rocks itself in its feathers, in an oily dream; the hollow fruit, deafened by insects, falls into the water of the creeks, probing its noise.

The island falls asleep in the arena of vast waters, washed by warm currents and unctuous milt, in the embrace of sumptuous slime.

Under the propagating mangroves, slow fishes in the mud have discharged bubbles with their flat heads; and others that are slow, spotted like reptiles, keep watch. —The

vases sont fécondées—Entends claquer les bêtes creuses dans leurs coques—Il y a sur un morceau de ciel vert une fumée hâtive qui est le vol emmêlé des moustiques—Les criquets sous les feuilles s'appellent doucement—Et d'autres bêtes qui sont douces, attentives au soir, chantent un chant plus pur que l'annonce des pluies: c'est la déglutition de deux perles gonflant leur gosier jaune . . .

Vagissement des eaux tournantes et lumineuses!
Corolles, bouches des moires: le deuil qui point et s'épanouit! Ce sont de grandes fleurs mouvantes en voyage, des fleurs vivantes à jamais, et qui ne cesseront de croître par le monde . . .

O la couleur des brises circulant sur les eaux calmes,
les palmes des palmiers qui bougent!

Et pas un aboiement lointain de chien qui signifie la hutte; qui signifie la hutte et la fumée du soir et les trois pierres noires sous l'odeur de piment.

Mais les chauves-souris découpent le soir mol à petits cris.

Joie! ô joie déliée dans les hauteurs du ciel!
. . . Crusoé! tu es là! Et ta face est offerte aux signes de la nuit, comme une paume renversée.

VENDREDI

R<small>IRES</small> *dans du soleil,*
 ivoire! agenouillements timides, les mains aux choses de la terre . . .

Vendredi! que la feuille était verte, et ton ombre nouvelle, les

slime is fecundated—Hear the hollow creatures rattling in their shells—Against a bit of green sky there is a sudden puff of smoke which is the tangled flight of mosquitos—The crickets under the leaves are gently calling to each other—And other gentle creatures, heedful of the night, sing a song purer than the signs of the coming rains: it is the swallowing of two pearls swelling their yellow gullets . . .

Wailing of waters swirling and luminous!

Corollas, mouths of watered silks: mourning that breaks and blossoms! Big moving flowers on a journey, flowers alive forever, and that will not cease to grow throughout the world . . .

O the colour of the winds circling over the calm waters, the palm-leaves of the palm-trees that stir!

And no distant barking of a single dog that means a hut; that means a hut and the evening smoke and the three black stones under the odour of pimentoes.

But the bats stipple the soft evening with little cries.

Joy! O joy set free in the heights of the sky!

. . . Crusoe! you are there! and your face is proffered to the signs of the night like an upturned palm.

FRIDAY

L<small>AUGHTER</small> in the sun,
  ivory! timid kneelings, and your hands on the things of the earth . . .

Friday! how green was the leaf, and your shadow how

mains si longues vers la terre, quand, près de l'homme taciturne, tu remuais sous la lumière le ruissellement bleu de tes membres!

—*Maintenant l'on t'a fait cadeau d'une défroque rouge. Tu bois l'huile des lampes et voles au garde-manger; tu convoites les jupes de la cuisinière qui est grasse et qui sent le poisson; tu mires au cuivre de ta livrée tes yeux devenus fourbes et ton rire, vicieux.*

LE PERROQUET

C'EST *un autre.*

Un marin bègue l'avait donné à la vieille femme qui l'a vendu. Il est sur le palier près de la lucarne, là où s'emmêle au noir la brume sale du jour couleur de venelles.

D'un double cri, la nuit, il te salue, Crusoé, quand, remontant des fosses de la cour, tu pousses la porte du couloir et élèves devant toi l'astre précaire de ta lampe. Il tourne sa tête pour tourner son regard. Homme à la lampe! que lui veux-tu? . . . Tu regardes l'œil rond sous le pollen gâté de la paupière; tu regardes le deuxième cercle comme un anneau de sève morte. Et la plume malade trempe dans l'eau de fiente.

O misère! Souffle ta lampe. L'oiseau pousse son cri.

new, your hands so long toward the earth when, beside the taciturn man, you moved in the light the streaming blue of your limbs!

—Now they have given you a cast-off red coat. You drink the oil of the lamps and steal from the larder; you leer at the skirts of the cook who smells of grease and is fat; you see in the mirroring brass of your livery your eyes grown sly and vicious your laughter.

THE PARROT

Here is another.

A stuttering sailor had given him to the old woman who sold him. He is on the landing near the skylight, where the darkness is mixed with the dirty fog of the day, the colour of alleys.

At night, with a double cry he greets you, Crusoe, when, coming up from the latrine in the courtyard, you open the door of the passage and hold up the precarious star of your lamp. To turn his eyes, he turns his head. Man with the lamp! what do you want with him? . . . You look at his round eye under the putrid pollen of the lid; you look at the second circle that is like a ring of dead sap. And the sick feather trails in the water of his droppings.

O misery! blow out your lamp. The bird gives his cry.

IMAGES A CRUSOÉ

LE PARASOL DE CHÈVRE

Il est dans l'odeur grise de poussière, dans la soupente du grenier. Il est sous une table à trois pieds; c'est entre la caisse où il y a du sable pour la chatte et le fût décerclé où s'entasse la plume.

L'ARC

Devant les sifflements de l'âtre, transi sous ta houppelande à fleurs, tu regardes onduler les nageoires douces de la flamme. —Mais un craquement fissure l'ombre chantante: c'est ton arc, à son clou, qui éclate. Et il s'ouvre tout au long de sa fibre secrète, comme la gousse morte aux mains de l'arbre guerrier.

LA GRAINE

Dans un pot tu l'as enfouie, la graine pourpre demeurée à ton habit de chèvre.
 Elle n'a point germé.

PICTURES FOR CRUSOE

THE GOATSKIN PARASOL

It is there in the grey odour of dust under the eaves of the attic. It is beneath the three-legged table; it is between the box of sand for the cat and the unhooped barrel piled with feathers.

THE BOW

Before the hissings of the hearth, numb beneath your flowered wrapper, you watch the soft undulating fins of the flames. —But a snapping fissures the singing darkness: it is your bow, on its nail, that has burst. And it splits along the whole length of its secret fibre, like the dead pod in the hands of the warrior tree.

THE SEED

You buried it in a flowerpot, the purple seed that had stuck to your goatskin jacket.
    It has not sprouted.

IMAGES A CRUSOÉ

LE LIVRE

E<small>T QUELLE</small> *plainte alors sur la bouche de l'âtre, un soir de longues pluies en marche vers la ville, remuait dans ton cœur l'obscure naissance du langage:*

«... D'un exil lumineux—et plus lointain déjà que l'orage qui roule—comment garder les voies, ô mon Seigneur! que vous m'aviez livrées?

«... Ne me laisserez-vous que cette confusion du soir— après que vous m'ayez, un si long jour, nourri du sel de votre solitude,

«témoin de vos silences, de votre ombre et de vos grands éclats de voix?»

—Ainsi tu te plaignais, dans la confusion du soir.

Mais sous l'obscure croisée, devant le pan de mur d'en face, lorsque tu n'avais pu ressusciter l'éblouissement perdu,

alors, ouvrant le Livre,

tu promenais un doigt usé entre les prophéties, puis le regard fixé au large, tu attendais l'instant du départ, le lever du grand vent qui te descellerait d'un coup, comme un typhon, divisant les nuées devant l'attente de tes yeux.

1904

THE BOOK

A<small>ND</small> then what a wail in the mouth of the hearth, a night of long rains on their march toward the city, stirred in your heart the obscure birth of speech:

". . . Of a luminous exile—and more distant already than the storm that is rolling—how can I, O Lord, keep the ways that you opened?

". . . Will you leave me only this confusion of evening— having, so long a day, nourished me on the salt of your solitude,

"witness of your silences, of your shadow, and of the great blasts of your voice?"

—Thus you lamented in the confusion of evening.

But sitting by the window opposite the stretch of wall across the way, having failed to resuscitate the lost splendour,

you would open the Book,

and letting your worn finger wander among the prophecies, your gaze far away, you awaited the moment of departure, the rising of the great wind that would suddenly tear you away, like the typhoon, parting the clouds before your waiting eyes.

1904

II

LA GLOIRE DES ROIS
THE GLORY OF KINGS

RÉCITATION
A L'ÉLOGE D'UNE REINE

1

«Haut *asile des graisses vers qui cheminent les désirs*
d'un peuple de guerriers muets avaleurs de salive,
ô Reine! romps la coque de tes yeux, annonce
en ton épaule qu'elle vit!
ô Reine, romps la coque de tes yeux, sois-nous propice,
accueille
un fier désir, ô Reine! comme un jeu sous l'huile, de nous
baigner nus devant Toi,
jeunes hommes!»

*

—Mais qui saurait par où faire entrée dans Son cœur?

RECITATION
IN PRAISE OF A QUEEN

1

"High sanctuary of flesh toward which journey the desires

of a warrior people, mute swallowers of spittle,
O Queen! break the shell of your eyes, in your shoulder make known that it lives!
O Queen, break the shell of your eyes, to us be propitious, accept
a proud desire, O Queen! that before You, anointed as for games, naked we should bathe,
young men!"

*

—But who would know by what breach to enter Her heart?

RÉCITATION A L'ÉLOGE D'UNE REINE

2

«J'ai dit, ne comptant point ses titres sur mes doigts:
　　O Reine sous le rocou! grand corps couleur d'écorce, ô corps comme une
　　　　table de sacrifices! et table de ma loi!
　　　　Aînée! ô plus Paisible qu'un dos de fleuve, nous louons
　　　　qu'un crin splendide et fauve orne ton flanc caché,
　　　　dont l'ambassadeur rêve qui se met en chemin
　　　　dans sa plus belle robe!»

*

—Mais qui saurait par où faire entrée dans Son cœur?

3

«J'ai dit en outre, menant mes yeux comme deux chiennes bien douées:
　　O bien-Assise, ô Lourde! tes mains pacifiques et larges
　　　　sont comme un faix puissant de palmes sur l'aise de tes jambes,
　　　　ici et là, où brille et tourne
　　　　le bouclier luisant de tes genoux; et nul fruit à ce ventre

RECITATION IN PRAISE OF A QUEEN

2

"I said, on my fingers never counting her titles:

O Queen under the roucou! great body the colour of bark, O body like a

table of sacrifices! and table of my law!

Great Elder! O more Placid than a river's back, we give praise

that such splendid, tawny hair adorns your hidden flank,

dreamed of by the ambassador setting out

in his finest attire!"

*

—But who would know by what breach to enter Her heart?

3

"I said, moreover, leading my eyes like two thoroughbred bitches:

O Solidly-Seated-One, O Heavy! your hands pacific and wide

are like a powerful weight of palms on the ease of your limbs,

here and there, where sparkles and turns

the bright buckler of your knees; and no fruit in that

RÉCITATION A L'ÉLOGE D'UNE REINE

infécond scellé du haut nombril ne veut pendre, sinon
 par on ne sait quel secret pédoncule
 nos têtes!»

*

—Mais qui saurait par où faire entrée dans Son cœur?

<h3 align="center">4</h3>

«E<small>T DIT</small> *encore, menant mes yeux comme de jeunes hommes à l'écart:*
 . . . *Reine parfaitement grasse, soulève*
 cette jambe de sur cette autre; et par là faisant don du parfum de ton corps,
 ô Affable! ô Tiède, ô un-peu-Humide, et Douce,
 il est dit que tu nous
 dévêtiras d'un souvenir cuisant des champs de poivriers et des grèves où croît l'arbre-à-cendre et des gousses nubiles et des bêtes à poche
 musquée!»

*

—Mais qui saurait par où faire entrée dans Son cœur?

infecund womb by the high navel sealed would hang, other than,
> from what secret stem,
> our heads!"

*

—But who would know by what breach to enter Her heart?

4

"And said again, leading my eyes like young men apart:
> ... Queen faultlessly fat, lift
> that leg from upon that other leg; and thus making a gift of the perfume of your body,
> O Affable One! O Warm, O a-little-Moist, and Soft,
> it is said that you
> will strip us of a burning memory of the pepper-fields, of shores where the tree-of-ashes grows, of nubile pods and animals with sacs of
> musk!"

*

—But who would know by what breach to enter Her heart?

RÉCITATION A L'ÉLOGE D'UNE REINE

5

«Ha Nécessaire! *et Seule! . . . il se peut qu'aux trois plis de ce ventre réside*
 toute sécurité de ton royaume:
 sois immobile et sûre, sois la haie de nos transes nocturnes!
 La sapotille choit dans une odeur d'encens; Celui qui bouge entre les feuilles, le Soleil
 a des fleurs et de l'or pour ton épaule bien lavée
 et la Lune qui gouverne les marées est la même qui commande, ô Légale!
 au rit orgueilleux de tes menstrues!»

★

—Mais qui saurait par où faire entrée dans Son cœur?

RECITATION IN PRAISE OF A QUEEN

5

... "HA NECESSARY One! and Solitary! ... it may be that in the three folds of that belly resides
    your kingdom's whole security:
    be still and sure, be the hedge of our nocturnal terrors!
    The sapodilla falls in an odour of incense; the One who moves among the leaves, the Sun
    has flowers and gold for your well-washed shoulder
    and the Moon that commands the tides is the same that governs, O Lawful One!
    the proud rite of your menses!"

*

—*But who would know by what breach to enter Her heart?*

AMITIÉ
DU PRINCE

I

Et toi *plus maigre qu'il ne sied au tranchant de l'esprit, homme aux narines minces parmi nous, ô Très-Maigre! ô Subtil! Prince vêtu de tes sentences ainsi qu'un arbre sous bandelettes,*

aux soirs de grande sécheresse sur la terre, lorsque les hommes en voyage disputent des choses de l'esprit adossés en chemin à de très grandes jarres, j'ai entendu parler de toi de ce côté du monde, et la louange n'était point maigre:

«... Nourri des souffles de la terre, environné des signes les plus fastes et devisant de telles prémisses, de tels schismes, ô Prince sous l'aigrette, comme la tige en fleurs à la cime de l'herbe (et l'oiseau qui s'y berce et s'enfuit y laisse un tel balancement ... et te voici toi-même, ô Prince par l'absurde, comme une grande fille folle sous la grâce à se bercer soi-même au souffle de sa naissance ...),

«docile aux souffles de la terre, ô Prince sous l'aigrette et le signe invisible du songe, ô Prince sous la huppe, comme l'oiseau chantant le signe de sa naissance,

«je dis ceci, écoute ceci:

«*Tu es le Guérisseur et l'Assesseur et l'Enchanteur aux*

FRIENDSHIP
OF THE PRINCE

1

And you on the keen edge of the spirit, leaner than is fitting, man of the thin nostrils among us, O Very-Lean! O Subtle! Prince attired in your sayings like a tree wrapped in bands,

evenings of great drought on the earth, while men on journeys argue the things of the spirit, leaning against very big jars to rest on their way, I have heard you spoken of in this part of the world, and the praise was not meagre:

"Nourished by the breaths of the earth, surrounded by the most auspicious signs and on such premises, on such schisms discoursing, O Prince under the aigrette, like the flowering spray at the top of the grass (and the bird that rocks there, and flies off, leaves such a swaying . . . and you yourself, incongruously, O Prince, like a great girl mad under grace rocking herself in the breath of her birth . . .),

"obedient to the breaths of the earth, O Prince under the aigrette and the invisible sign of the dream, O Prince under the crest, like the bird singing the sign of his birth,

"I tell you this, listen to this:

"You are the Healer and the Assessor and the Enchanter

AMITIÉ DU PRINCE

sources de l'esprit! Car ton pouvoir au cœur de l'homme est une chose étrange et ton aisance est grande parmi nous.

«J'ai vu le signe sur ton front et j'ai considéré ton rôle parmi nous. Tiens ton visage parmi nous, vois ton visage dans nos yeux, sache quelle est ta race: non point débile, mais puissante.

«Et je te dis encore ceci: Homme-très-attrayant, ô Sans-coutume-parmi-nous, ô Dissident! une chose est certaine, que nous portons le sceau de ton regard; et un très grand besoin de toi nous tient aux lieux où tu respires, et de plus grand bien-être qu'avec toi nous n'en connaissons point . . . Tu peux te taire parmi nous, si c'est là ton humeur; ou décider encore que tu vas seul, si c'est là ton humeur: on ne te demande que d'être là! (Et maintenant tu sais quelle est ta race) . . .»

*

—C'est du Roi que je parle, ornement de nos veilles, honneur du sage sans honneur.

2

Ainsi *parlant et discourant, ils établissent son renom. Et d'autres voix s'élèvent sur son compte:*

«. . . Homme très simple parmi nous; le plus secret dans ses desseins; dur à soi-même, et se taisant, et ne concluant point de paix avec soi-même, mais pressant,

«errant aux salles de chaux vive, et fomentant au plus haut point de l'âme une grande querelle . . . A l'aube s'apaisant, et sobre, saisissant aux naseaux une invisible bête frémissante

at the sources of the spirit! For your power over the hearts of men is a strange thing and great is your ease among us.

"I have seen the sign on your forehead and I have considered what your role is among us. Keep your face among us, see your face in our eyes, know what race is your race; not weak, but powerful.

"And this also I tell you, Man-who-attracts, O Without-conformity-among-us, O Dissenter! one thing is certain, that we all wear the seal of your gaze: and a very great need of you keeps us in the place where you breathe, and a greater contentment than being with you we do not know . . . You may be silent among us, if that is your humour; or decide to go alone, if that is your humour: we ask nothing but to be there! (And now you know what race is your race) . . ."

*

—It is of the King that I speak, ornament of our vigils, honour of the sage without honour.

2

Speaking thus and discoursing, they establish his fame. And other voices are raised concerning him:

". . . A man most simple among us: the most secret in his designs; stern with himself, and keeping his own counsel and making no peace with himself, but driving himself,

"wandering toward the halls of quicklime, and at the highest point of his soul fomenting a mighty quarrel . . . Quieted in the dawn, and sober, seizing by its nostrils an

AMITIÉ DU PRINCE

... Bientôt peut-être, les mains libres, s'avançant dans le jour au parfum de viscères, et nourrissant ses pensées claires au petit-lait du jour ...

«A midi, dépouillant, aux bouches des citernes, sa fièvre aux mains de filles fraîches comme des cruches ... Et ce soir cheminant en lieux vastes et nus, et chantant à la nuit ses plus beaux chants de Prince pour nos chauves-souris nourries de figues pures ...»

Ainsi parlant et discourant ... Et d'autres voix s'élèvent sur son compte:

«... Bouche close à jamais sur la feuille de l'âme! ... On dit que maigre, désertant l'abondance sur la couche royale, et sur des nattes maigres fréquentant nos filles les plus minces, il vit loin des déportements de la Reine démente (Reine hantée de passions comme d'un flux du ventre); et parfois ramenant un pan d'étoffe sur sa face, il interroge ses pensées claires et prudentes, ainsi qu'un peuple de lettrés à la lisière des pourritures monstrueuses ... D'autres l'ont vu dans la lumière, attentif à son souffle, comme un homme qui épie une guêpe terrière; ou bien assis dans l'ombre mimosée, comme celui qui dit, à la mi-lune: «Qu'on m'apporte—je veille et je n'ai point sommeil— qu'on m'apporte ce livre des plus vieilles Chroniques ... Sinon l'histoire, j'aime l'odeur de ces grands Livres en peau de chèvre (et je n'ai point sommeil).»

«... Tel sous le signe de son front, les cils hantés d'ombrages immortels et la barbe poudrée d'un pollen de sagesse, Prince flairé d'abeilles sur sa chaise d'un bois violet odorant, il veille. Et c'est là sa fonction. Et il n'en a point d'autre parmi nous.»

Ainsi parlant et discourant, ils font le siège de son nom. Et

invisible quivering beast . . . Soon, perhaps, going on empty-handed through the day that has the odour of entrails, and feeding his clear thoughts on the whey of the morning . . .

"At noon before the mouths of the cisterns casting off his fever in the hands of girls fresh as water-jars . . . And this evening roaming through vast, naked places, and singing to the night his most beautiful Princely songs for our bats nourished on pure figs . . ."

Speaking thus and discoursing . . . And other voices are raised concerning him:

". . . Mouth forever closed over the leaf of the soul! . . . It is said that lean, deserting abundance on the royal couch, and on meagre mats frequenting our thinnest girls, he lives far from the excesses of the demented Queen (Queen haunted by passions as by a flux of the womb); and at times drawing a fold of cloth over his face, he questions his clear, prudent thoughts, like a company of learned men on the edge of monstrous putrefactions . . . Others have seen him in the light, hardly breathing, like a man watching for a digger-wasp, or else seated in the mimosa shade, like someone who says at the half moon: 'Let them bring me—I am wakeful and cannot sleep—let them bring me that book of ancient Chronicles . . . If not the story, I love the smell of those great Books bound in goatskin (and I am wakeful).'

". . . Thus under the sign of his forehead, lashes haunted by immortal shade and beard powdered with a pollen of wisdom, Prince flaired by the bees on his chair of scented violet wood, he keeps vigil. And that is his function. And he has no other among us."

Speaking thus and discoursing, they lay siege to his name.

moi, j'ai rassemblé mes mules, et je m'engage dans un pays de terres pourpres, son domaine. J'ai des présents pour lui et plus d'un mot silencieux.

*

—C'est du Roi que je parle, ornement de nos veilles, honneur du sage sans honneur.

3

Je reviendrai *chaque saison, avec un oiseau vert et bavard sur le poing. Ami du Prince taciturne. Et ma venue est annoncée aux bouches des rivières. Il me fait parvenir une lettre par les gens de la côte:*

«*Amitié du Prince! Hâte-toi . . . Son bien peut-être à partager. Et sa confiance, ainsi qu'un mets de prédilection . . . Je t'attendrai chaque saison au plus haut flux de mer, interrogeant sur tes projets les gens de mer et de rivière . . . La guerre, le négoce, les règlements de dettes religieuses sont d'ordinaire la cause des déplacements lointains: toi tu te plais aux longs déplacements sans cause. Je connais ce tourment de l'esprit. Je t'enseignerai la source de ton mal. Hâte-toi.*

«*Et si ta science encore s'est accrue, c'est une chose aussi que j'ai dessein de vérifier. Et comme celui, sur son chemin, qui trouve un arbre à ruches a droit à la propriété du miel, je recueillerai le fruit de ta sagesse; et je me prévaudrai de ton conseil. Aux soirs de grande sécheresse sur la terre, nous deviserons des choses de l'esprit. Choses probantes et peu sûres. Et nous nous*

As for me, I have assembled my mules, and I set out through a country of red earth, his domain. For him I have gifts and more than one silent word.

*

—It is of the King that I speak, ornament of our vigils, honour of the sage without honour.

3

Each season I shall return, with a garrulous green bird on my wrist. Friend of the taciturn Prince. And my coming is announced at the mouths of the rivers. He sends me a letter by the people of the coast:

"Friendship of the Prince! Make haste! . . . His fortune perhaps to share. And his trust, as a morsel of predilection . . . At the highest tide of the sea each season I shall await you, on your projects questioning the people of the sea and of the river . . . War, trade, religious debts to discharge, these are mostly the reasons for men's distant journeyings: but you take pleasure in distant journeys without reason. I know this torment of the spirit. I shall teach you the source of your ill. Make haste.

"And if your knowledge has further increased, that too is a thing I mean to discover. And as the man who finds in his path beehives in a tree has a right to the honey, so I shall gather the fruit of your wisdom; and I shall avail myself of your counsel. Evenings of great drought on the earth, we shall discourse of the things of the spirit. Probative things

réjouirons des convoitises de l'esprit . . . Mais d'une race à l'autre la route est longue; et j'ai moi-même affaire ailleurs. Hâte-toi! je t'attends! . . . Prends par la route des marais et par les bois de camphriers.»

Telle est sa lettre. Elle est d'un sage. Et ma réponse est celle-ci:

«Honneur au Prince sous son nom! La condition de l'homme est obscure. Et quelques-uns témoignent d'excellence. Aux soirs de grande sécheresse sur la terre, j'ai entendu parler de toi de ce côté du monde, et la louange n'était point maigre. Ton nom fait l'ombre d'un grand arbre. J'en parle aux hommes de poussière, sur les routes; et ils s'en trouvent rafraîchis.

«Ceci encore j'ai à te dire:

«J'ai pris connaissance de ton message. Et l'amitié est agréée, comme un présent de feuilles odorantes: mon cœur s'en trouve rafraîchi . . . Comme le vent du Nord-Ouest, quand il pousse l'eau de mer profondément dans les rivières (et pour trouver de l'eau potable il faut remonter le cours des affluents), une égale fortune me conduit jusqu'à toi. Et je me hâterai, mâchant la feuille stimulante.»

Telle est ma lettre, qui chemine. Cependant il m'attend, assis à l'ombre sur son seuil . . .

*

—C'est du Roi que je parle, ornement de nos veilles, honneur du sage sans honneur.

and uncertain. And we shall delight in the lusts of the spirit . . . But from one race to another the road is long; and I too have business elsewhere. Make haste! I await you! . . . Take the road through the marshlands and through the camphor woods."

Such is his letter. It is that of a sage. And this is my answer:

"Honour to the Prince under his name! Man's condition is obscure. And a few give proof of excellence. Evenings of great drought on the earth, I have heard you spoken of in this part of the world, and the praise was not meagre. Your name makes the shade of a great tree. I speak of it to the men of dust, on the roads; and they find themselves refreshed.

"This too I must tell you:

"I have taken note of your message. And your friendship is received, like a gift of fragrant leaves; my heart is refreshed by it . . . Like the wind from the Northwest, when it drives the waters of the sea far up the rivers (and to find potable water one must go up tributary streams), a similar fortune leads me to you. And I shall make haste, chewing a certain leaf."

Such is my letter, which is on its way. Meanwhile he awaits me, seated in the shade on his threshold . . .

*

—*It is of the King that I speak, ornament of our vigils, honour of the sage without honour.*

4

... A̲ssis *à l'ombre sur son seuil, dans les clameurs d'insectes très arides. (Et qui demanderait qu'on fasse taire cette louange sous les feuilles?) Non point stérile sur son seuil, mais plutôt fleurissant en bons mots, et sachant rire d'un bon mot,*

assis, de bon conseil aux jeux du seuil, grattant sagesse et bonhomie sous le mouchoir de tête (et son tour vient de secouer le dé, l'osselet ou les billes):

tel sur son seuil je l'ai surpris, à la tombée du jour, entre les hauts crachoirs de cuivre.

Et le voici qui s'est levé! Et debout, lourd d'ancêtres et nourrisson de Reines, se couvrant tout entier d'or à ma venue, et descendant vraiment une marche, deux marches, peut-être plus, disant: «O Voyageur...», ne l'ai-je point vu se mettre en marche à ma rencontre?... Et par-dessus la foule des lettrés, l'aigrette d'un sourire me guide jusqu'à lui.

Pendant ce temps les femmes ont ramassé les instruments du jeu, l'osselet ou le dé: «Demain nous causerons des choses qui t'amènent...»

Puis les hommes du convoi arrivent à leur tour; sont logés, et lavés; livrés aux femmes pour la nuit: «Qu'on prenne soin des bêtes déliées...»

Et la nuit vient avant que nous n'ayons coutume de ces lieux. Les bêtes meuglent parmi nous. De très grandes places à nos portes sont traversées d'un long sentier. Des pistes de fraîcheur s'ouvrent leur route jusqu'à nous. Et il se fait un mouvement à la cime de l'herbe. Les abeilles quittent les cavernes à la recherche des plus hauts arbres dans la lumière. Nos fronts sont mis à

4

. . . Seated in the shade on his threshold, in the clamour of very dry insects. (And who would ask to have silenced this praise under the leaves?) Not sterile, but flowering rather in jests and ready to laugh at a jest, there on his threshold

seated, of good counsel in the games of the threshold, scratching wisdom and geniality under his bandanna (and his turn comes to shake the dice, the bones, or the marbles):

thus on his threshold I surprised him, at the end of the day, between the high copper spittoons.

And now he has risen! And standing, heavy with ancestors and nursling of Queens, all covered with gold for my coming, and really descending one step, two steps, perhaps more, saying: "O Traveller . . ." did I not see him starting forward to meet me? . . . And above the throng of learned men, the aigrette of a smile guides me to him.

Meanwhile the women have taken away all the games, the bones or the dice: "Tomorrow we shall speak of the things that have brought you . . ."

Then the men of the convoy arrive in their turn; are lodged and are bathed; given over to the women for the night: "Have the unharnessed animals cared for . . ."

And the night comes before we are used to these places. The animals bellow among us. At our doors vast spaces are crossed by a long path. Tracks of coolness open up their way to us. And there is a movement at the top of the grass. The bees leave the caverns to look for the tallest

découvert, les femmes ont relevé leur chevelure sur leur tête. Et les voix portent dans le soir. Tous les chemins silencieux du monde sont ouverts. Nous avons écrasé de ces plantes à huile. Le fleuve est plein de bulles, et le soir est plein d'ailes, le ciel couleur d'une racine rose d'ipomée. Et il n'est plus question d'agir ni de compter, mais la faiblesse gagne les membres du plus fort; et d'heure plus vaste que cette heure, nous n'en connûmes point . . .

Au loin sont les pays de terres blanches, ou bien d'ardoises. Les hommes de basse civilisation errent dans les montagnes. Et le pays est gouverné . . . La lampe brille sous Son toit.

*

—C'est du Roi que je parle, ornement de nos veilles, honneur du sage sans honneur.

trees in the light. Our foreheads have been uncovered, the women have gathered up their hair on the top of their heads. And the voices carry far in the evening. All the silent paths of the world are open. We have crushed some of those oily plants. The river is full of bubbles, and the evening is full of wings, the sky is the colour of an ipomoea's pink root. And there is no more question of doing or counting, but weakness gains the limbs of the strongest: and an hour more vast than this hour we never have known . . .

Far away are the lands of white earth, or of slate. Men of low civilization wander in the mountains. And the country is governed . . . The lamp shines under His roof.

*

—It is of the King that I speak, ornament of our vigils, honour of the sage without honour.

HISTOIRE DU RÉGENT

Tu as *vaincu! tu as vaincu! Que le sang était beau, et la main*
    qui du pouce et du doigt essuyait une lame! . . . C'était
    il y a des lunes. Et nous avions eu chaud. Il me souvient des femmes qui fuyaient avec des cages d'oiseaux verts; des infirmes qui raillaient; et des paisibles culbutés au plus grand lac de ce pays . . .; du prophète qui courait derrière les palissades, sur une chamelle borgne . . .
    Et tout un soir, autour des feux, on fit ranger les plus habiles de ceux-là
    qui sur la flûte et le triangle savent tenir un chant.
    Et les bûchers croulaient chargés de fruit humain. Et les Rois couchaient nus dans l'odeur de la mort. Et quand l'ardeur eut délaissé les cendres fraternelles,
    nous avons recueilli les os blancs que voilà,
    baignant dans le vin pur.

THE REGENT'S STORY

You conquered! You conquered! How beautiful the blood, and the hand
    that with thumb and finger wiped off the blade! . . . That was
    moons ago. And it had been hot. I remember women fleeing with cages of green birds; cripples jeering; and peaceful people tossed into the biggest lake in the land; . . . and the prophet speeding on a one-eyed camel behind the palisades . . .

And all one evening, round the fires, had been grouped the most skilful of those
    who on flute and triangle could carry a song.

And the pyres fell in loaded with human fruit. And the Kings lay naked in the odour of death. And when the ardour had forsaken the fraternal ashes
    we gathered the white bones you see over there,
    bathing in pure wine.

CHANSON
DU PRÉSOMPTIF

J'HONORE les vivants, j'ai face parmi vous.
Et l'un parle à ma droite dans le bruit de son âme
et l'autre monte les vaisseaux,
le Cavalier s'appuie de sa lance pour boire.
(Tirez à l'ombre, sur son seuil, la chaise peinte du vieillard.)

*

J'honore les vivants, j'ai grâce parmi vous.
Dites aux femmes qu'elles nourrissent,
qu'elles nourrissent sur la terre ce filet mince de fumée . . .
Et l'homme marche dans les songes et s'achemine vers la mer
et la fumée s'élève au bout des promontoires.

*

J'honore les vivants, j'ai hâte parmi vous.
Chiens, ho! mes chiens, nous vous sifflons . . .
Et la maison chargée d'honneurs et l'année jaune entre les
    feuilles
sont peu de chose au cœur de l'homme s'il y songe:
tous les chemins du monde nous mangent dans la main!

SONG OF THE HEIR
PRESUMPTIVE

I honour the living, among you I have face.
And a man speaks at my right in the noise of his soul
and another is riding the boats,
the Horseman leans on his lance to drink.
(Draw into the shade, on his threshold, the old man's
    painted chair.)

*

I honour the living, among you I find grace.
Say to the women they should nourish,
should nourish on the earth that thin thread of
    smoke . . .
And man walks through dreams and takes his way to-
    ward the sea
and the smoke rises at the end of the headlands.

*

I honour the living, among you I make haste.
Dogs, ho! my dogs, we're whistling to you . . .
And the house heavy with honours and the year yellow
    among the leaves
are as nothing to man's heart when he thinks:
all the paths of the world eat out of his hand!

BERCEUSE

Première-née—*temps de l'oriole,*
Première-Née—le mil en fleurs,
Et tant de flûtes aux cuisines . . .
Mais le chagrin au cœur des Grands
Qui n'ont que filles à leur arc.

S'assembleront les gens de guerre,
Et tant de sciences aux terrasses . . .
Première-Née, chagrin du peuple,
Les dieux murmurent aux citernes,
Se taisent les femmes aux cuisines.

Gênait les prêtres et leurs filles,
Gênait les gens de chancellerie
Et les calculs de l'astronome:
« Dérangerez-vous l'ordre et le rang? »
Telle est l'erreur à corriger.

Du lait de Reine tôt sevrée,
Au lait d'euphorbe tôt vouée,
Ne ferez plus la moue des Grands
Sur le miel et sur le mil,
Sur la sébile des vivants . . .

LULLABY

Girl, First-Born—oriole season,
Girl, First-Born—millet in bloom,
And so many flutes in the kitchens . . .
But grief in the heart of the Great
Who have only girls to their bow.

There will gather the council of war,
And so much learning on the terraces . . .
Girl, First-Born, grief of the people,
The gods grumble in the wells,
The women are hushed in the kitchens.

Embarrassed the priests and their daughters,
Embarrassed the counsellors of kings
And the astronomer's reckonings:
"Will you disturb order and rank?"
That is the error to correct.

From Queen's milk soon weaned,
For euphorbia's milk soon fated,
Will make no more the pout of the Great
Over the honey and over the millet,
Over the bowl of the living . . .

BERCEUSE

L'ânier pleurait sous les lambris,
Oriole en main, cigale en l'autre:
« Mes jolies cages, mes jolies cages,
Et l'eau de neige de mes outres,
Ah! pour qui donc, fille des Grands? »

*

Fut embaumée, fut lavée d'or,
Mise au tombeau dans les pierres noires;
En lieu d'agaves, de beau temps,
Avec ses cages à grillons
Et le soleil d'ennui des Rois.

S'en fut l'ânier, s'en vint le Roi!
« Qu'on peigne la chambre d'un ton vif
Et la fleur mâle au front des Reines . . . »
J'ai fait ce rêve, dit l'oriole,
D'un cent de reines en bas âge.

Pleurez, l'ânier, chantez, l'oriole,
Les filles closes dans les jarres
Comme cigales dans le miel,
Les flûtes mortes aux cuisines
Et tant de sciences aux terrasses.

*

N'avait qu'un songe et qu'un chevreau
—Fille et chevreau de même lait—
N'avait l'amour que d'une Vieille.
Ses caleçons d'or furent au Clergé,
Ses guimpes blanches à la Vieille . . .

LULLABY

The donkey-man wept in the gilded halls,
Cicada in one hand, oriole in the other:
"Oh, my cages, my pretty cages,
And the snow-water in my goatskin bottles,
For whom now, daughter of the Great?"

*

Was embalmed, was washed with gold,
Laid in the tomb among the black stones;
Where the agave grew, on a clear day,
With her cages of crickets
And the desolate sunlight of Kings.

Went the donkey-man, came the King!
"Let the chamber be painted a bright colour
And the male flower on the brow of the Queens . . ."
I dreamed this dream, said the oriole,
Infant queens by the hundred.

Weep, donkey-man, sing, oriole,
Girls sealed in jars
Like cicadas in honey,
Flutes dead in the kitchens
And so much learning on the terraces.

*

Had only a dream and a kid
—Daughter and kid of one milk—
Had love only of an Old Woman.
Her golden drawers went to the Clergy,
Her white frocks to the Old Woman . . .

BERCEUSE

    Très vieille femme de balcon
    Sur sa berceuse de rotin,
    Et qui mourra de grand beau temps
    Dans le faubourg d'argile verte . . .
    «Chantez, ô Rois, les fils à naître!»

    Aux salles blanches comme semoule
    Le Scribe range ses pains de terre.
    L'ordre reprend dans les grands Livres.
    Pour l'oriole et le chevreau,
    Voyez le Maître des cuisines.

LULLABY

Very old woman on a balcony
In her rattan rocking-chair,
Who will die of a day too beautiful
In the suburb of green clay . . .
"Sing, O Kings, the sons to be born!"

In halls as white as wheat-flour
The Scribe puts by his earthen loaves.
Order is back in the great Books.
For the oriole and the kid,
See the Master of the kitchens.

BIBLIOGRAPHICAL NOTE

BIBLIOGRAPHICAL NOTE

I

ÉLOGES AND OTHER POEMS

PUBLICATIONS IN FRENCH

"Images à Crusoé," signed "Saintléger Léger," first appeared in the *Nouvelle Revue Française* in August, 1909. During 1910, the *Revue* published "Pour fêter une enfance," "Récitation à l'éloge d'une Reine," "Histoire du Régent," and "Éloges" under the same signature. In 1911, the volume *Éloges*, comprising all the foregoing poems, signed as before, was published in Éditions de la Nouvelle Revue Française (Marcel Rivière), Paris.

Two fragments were later set to music: "Images à Crusoé: Sept poèmes" by Louis Durey (Chester Editions, London, 1922); and "Éloges: Poème V" by Darius Milhaud (Durand, Paris, 1923).

"Amitié du Prince," signed "St.-J. Perse," was first published in the review *Commerce* (first issue, Paris, summer, 1924). The same year it was republished as a volume, with facsimile of the author's manuscript, in an edition of 100 copies, on vellum, in boards (Ronald Davis, Paris). "Chanson du Présomptif," titled "Chanson" and signed "St.-J. Perse," first appeared in *Commerce* in winter, 1924.

A second edition of *Éloges*, signed "St.-J. Perse," revised and augmented, comprising all the foregoing poems, was published in 1925 by the Librairie Gallimard in Éditions de la Nouvelle Revue

BIBLIOGRAPHICAL NOTE

Française (large quarto, large typography). Between 1925 and 1944, republication of *Éloges* was forbidden by the author.

"Berceuse," signed "Saint-John Perse," was first published in the review *Mesa* (Aurora, N. Y.), August, 1945.

A third edition of *Éloges*, signed "St.-J. Perse," text revised, augmented, and rearranged, comprising all the foregoing poems, was published in 1948 by Gallimard in Éditions de la Nouvelle Revue Française (large typography). It was again presented in 1953 in the *Œuvre poétique* of Saint-John Perse by the same publisher. (This text is reproduced in the present edition.)

PUBLICATIONS IN ENGLISH

Fragments of "Pour fêter une enfance," "Éloges," and "Images à Crusoé," translated by Eugène Jolas, were published in *Transition* (Paris), February, 1928.

Éloges and Other Poems, the French text by Saint-John Perse with English translation by Louise Varèse and an introduction by Archibald MacLeish, was published by W. W. Norton and Co., New York, 1944. (The present edition contains a revision of this translation, with the addition of the poem "Berceuse.") The introduction by Archibald MacLeish was again published in *Exile and Other Poems*, the French text by Saint-John Perse with English translation by Denis Devlin, in Bollingen Series XV (Pantheon Books, New York, 1949).

"Berceuse," translated by Eleanor Clark, with parallel French text, was published in *Partisan Review* (New York), September–October, 1946.

Translations of parts of *Éloges* have been published also in Spanish, Italian, German, Dutch, and Finnish.

II
OTHER WORKS OF ST.-JOHN PERSE
TRANSLATED INTO ENGLISH

ANABASE

London, Faber and Faber, Ltd., 1930: *Anabasis*. French text facing translation by T. S. Eliot, with preface by T. S. Eliot. Second edition, 1959: revised and corrected, with bibliography, and notes by Valéry Larbaud, Hugo von Hofmannsthal, Giuseppe Ungaretti, and Lucien Fabre.

New York, Harcourt, Brace and Co., 1938: *Anabasis*. French text with translation and preface by T. S. Eliot. Translation revised and corrected by T. S. Eliot for this edition. Second edition, 1949: translation again revised and corrected by T. S. Eliot.

EXIL

New York, Bollingen Series XV, Pantheon Books, 1949: *Exile and Other Poems*. French text with translation by Denis Devlin and notes by Archibald MacLeish, Roger Caillois, and Alain Bosquet, and bibliography. Second edition, 1953: French text facing the aforementioned translation, without notes, in smaller format.

VENTS

New York, Bollingen Series XXXIV, Pantheon Books, 1953: *Winds*. French text with translation by Hugh Chisholm, notes by

BIBLIOGRAPHICAL NOTE

Paul Claudel, Gaëton Picon, Albert Béguin, and Gabriel Bounoure, and bibliography. Second edition, 1961: French text facing the aforementioned translation, without notes, in smaller format.

AMERS

New York, Bollingen Series LXVII, Pantheon Books, 1958: *Seamarks*. French text with translation by Wallace Fowlie, and bibliography. Second edition, 1958: French text facing the aforementioned translation, in smaller format.

New York, Harper and Brothers (Harper Torchbooks: Bollingen Library), 1961: paperback edition.

CHRONIQUE

New York, Bollingen Series LXIX, Pantheon Books, 1961: *Chronique*. French text with translation by Robert Fitzgerald, and bibliography.

POÉSIE

New York, Bollingen Series, Pantheon Books, 1961: *On Poetry*. St.-John Perse's address in acceptance of the Nobel Prize for Literature, Stockholm, December 10, 1960. French text preceded by W. H. Auden's translation. Issued in pamphlet form.

OISEAUX

Portfolio, No. 7, New York, 1963: *Birds* (*Oiseaux*). French text facing translation by Wallace Fowlie, with full-color reproductions of four illustrations by Georges Braque.

New York, Bollingen Series LXXXII, Pantheon Books (in press): *Birds*. French text with translation by Robert Fitzgerald, full-color reproductions of four original etchings by Georges Braque, and bibliography.